当代中国微记录

GLIMPSES OF CONTEMPORARY CHINA



# 人在旅途

# THE JOY OF TRAVEL

李禄兴 主编
张 超 陈 婉 孙 婕 编著

Chief compiler: Li Luxing
Compilers: Zhang Chao Chen Wan Sun Jie

SinolinguA
华语教学出版社

First Edition 2019

ISBN 978-7-5138-1636-6

Published by Sinolingua Co., Ltd
24 Baiwanzhuang Road, Beijing 100037, China
Tel: (86)10-68320585 68997826
Fax: (86)10-68997826 68326333
http://www.sinolingua.com.cn
E-mail: hyjx@sinolingua.com.cn
Facebook: www.facebook.com/sinolingua
Printed by Beijing Xicheng Printing Co. Ltd

*Printed in the People's Republic of China*

# 编者的话

近年来，中国在国际上的影响力逐渐增强，很多人渴望了解中国，不仅想了解中国的古老文明，更希望了解当下的中国社会和普通中国人的日常生活。另外，随着孔子学院和孔子课堂在世界各地生根，大量学生，特别是中小学生在学习汉语过程中希望通过语言学习更直接地认识这个古老国家的今天是什么样子的。同时，笔者根据在海外多年的教学经历也体会到，如果一个学生对使用该语言的国家一无所知或知之不多，往往会影响他们对这种语言的学习兴趣。

了解中国，从细微处开始，于是有了这套“当代中国微记录”。这套书共10册，每一册着重介绍中国的某一方面，例如：饮食、交通、家庭，等等。针对新HSK水平考试5级以上，尽可能将词汇词汇量限定在2500-5000范围以内。超范围词汇在词后直接加英文注释，以方便学习者阅读和理解。本套书以平民的视角、平实的语言和家长里短的故事性叙述，将当今中国的各个侧面展现在汉语学习者面前，汉语学习者可以边学汉语边达到了解现实中国的目的。为减轻学习者的畏难心理负担，每册书只有大概一万多汉字，并全部配有汉语拼音，附赠的拼音隐形卡可以给不需要拼音辅助的学习者提供帮助。书中有大量图片，便于学习者理解内容，对中国有更直观的认知。这套书可以作为孔子学院或孔子课堂的汉语教材使用，也可以做中国国情课的教材或汉语课外读物。

感知中国，从“当代中国微记录”开始！

编者

# 目录 | CONTENTS

# Bù Yíyàng De Huǒchē
# 不一样的火车

## “Xīyánghóng” Hào
## ——“夕阳红”号

“Xīyánghóng” hào lǚyóu lièchē shì lǚxíngshè wèi lǎoniánrén
“夕阳红”号 旅游 列车 是 旅行社 为 老年人

chángtú lǚxíng shèjì de tèshū huǒchē. Huǒchē shang de
长途 旅行 设计 的 特殊 火车。火车 上 的

wòpù, xǐshǒujiān dōu wèi fāngbiàn lǎoniánrén de shēnghuó jìnxíngle
卧铺、洗手间 都 为 方便 老年人 的 生活 进行了

zhuānmén de gǎizhuāng, zhěnggè huǒchē xiànlù yě shì wèi
专门 的 改装，整个 火车 线路 也 是 为

lǚyóu shèjì de, zhǔyào jīngguò nàxiē zhùmíng de fēngjǐng
旅游设计的，主要经过那些著名的风景
míngshèng. Yóulǎn de shíhou huǒchē jiù tíngkào zài dāngdì de
名胜。游览的时候火车就停靠在当地的
huǒchēzhàn li, yóulǎn jiéshù hòu, lǎonián yóukèmen jiù dōu
火车站里，游览结束后，老年游客们就都
huídào lièchē shang zhùsù. Zhèyàng, jì jiějuéle lǚtú
回到列车上住宿。这样，既解决了旅途
zhōng huànchéng de máfan, yě jiéshěngle zhù
中换乘 (to transfer) 的麻烦，也节省了住
jiǔdiàn de fèiyong. Érqiě, zhèzhǒng huǒchē hái kěyǐ gēnjù
酒店的费用。而且，这种火车还可以根据
lǎoniánrén de xūyào ānpái chūfā shíjiān, yìbān yèjiān
老年人的需要安排出发时间，一般夜间
xíngchē, báitiān yóulǎn. Zhèzhǒng lǚyóu fāngshì shòudào lǎonián
行车，白天游览。这种旅游方式受到老年
péngyou de xǐ'ài.
朋友的喜爱。

Shēnghuó zài Dàlián de Wáng nǎinai yǐjīng tuìxiū wǔ nián
生活在大连的王奶奶已经退休五年
le. Tā suīrán mǎntóu báifà, dàn shēntǐ jiànkāng, hěn yǒu
了。她虽然满头白发，但身体健康，很有
jīngshen. Tā hái shì shèqū yānggeduì de zhǔlì duìyuán ne!
精神。她还是社区秧歌队的主力队员呢！
Zuìjìn yí duàn shíjiān, Wáng nǎinai tèbié máng, shǒujī
最近一段时间，王奶奶特别忙，手机
zhěngtiān xiǎng gè bù tíng, diànhuà bú duàn. Sūnnǚ Xiǎofāng
整天响个不停，电话不断。孙女小芳

gǎndào shífēn qíguài , tā wèn :
感到 十分 奇怪 (feeling surprised)，她 问：
“ Nǎinai , nín máng shénme ne ? ” Wáng nǎinai huídá : “ Wǒ
“奶奶，您 忙 什么 呢？” 王 奶奶 回答：“我
zài mángzhe hé nǐ yéye bàomíng cānjiā ‘ Xīyánghóng ’ hào
在 忙着 和你爷爷 报名 参加‘夕阳红’号
lǚyóutuán qù lǚyóu ne ! ” Zhè yǐjīng bú shì Wáng nǎinai
旅游团 去 旅游 呢！”这 已经 不 是 王 奶奶
dì-yī cì cānjiā “ Xīyánghóng ” hào lǚyóutuán le . Zhè jǐ
第一 次 参加“夕阳红”号 旅游团 了。这 几
nián lái , Wáng nǎinai hé lǎobànr chéngzuò “ Xīyánghóng ”
年 来，王 奶奶 和 老伴儿 乘坐 “夕阳红”
hào yóulǎnguo Zhōngguó hěn duō fēngjǐng míngshèng , rú :
号 游览过 中国 很多风景 名胜，如：

Chángchéng, Gù Gōng, Bīngmǎyǒng, Huáng Shān, Sānxiá,
长城，故宫，兵马俑，黄山，三峡，

Jiǔzhài Gōu děngděng.
九寨沟等等。

Cháng yǒu qīnqi péngyou wèn Wáng nǎinai, xiànzài lǚxíng
常有亲戚朋友问王奶奶，现在旅行

fāngshì nàme duō, wèi shénme háiyào xuǎnzé zuò huǒchē qù
方式那么多，为什么还要选择坐火车去

lǚxíng? Wáng nǎinai jiù xiàng shì “Xīyánghóng” hào de
旅行？王奶奶就像是“夕阳红”号的

dàiyánrén, wèi dàjiā jiěshìle cānjiā “Xīyánghóng” hào
代言人，为大家解释了参加“夕阳红”号

lǚxíngtuán de yuányīn: shǒuxiān, pǔtōng de lǚxíngtuán ānpái de
旅行团的原因：首先，普通的旅行团安排的

jǐngdiǎn tài duō, yóulǎn de shíjiān tài shǎo, bú zìyóu;
景点太多，游览的时间太少，不自由；

qícì, gēn niánqīngrén yìqǐ cānjiā lǚxíngtuán, gēn bu shàng
其次，跟年轻人一起参加旅行团，跟不上

tāmen de bùfá, yǐngxiǎng dàjiā; zuìhòu yí gè yuányīn jiù
他们的步伐，影响大家；最后一个原因就

shì, “Xīyánghóng” hào bùjǐn jiàgé bǐ pǔtōng lǚxíngtuán piányi
是，“夕阳红”号不仅价格比普通旅行团便宜，

érqiě háishi zhuānménwèi lǎoniánrén dìngzhì de huǒchē shang de
而且还是专门为老年人定制的，火车上的

dǎoyóu hé fúwùyuán dōu shì zhuānmén wèi lǎoniánrén fúwù de,
导游和服务员都是专门为老年人服务的，

yóulǎn jǐngdiǎn de shíjiān yě fēicháng chōngyù, hái yǒu suí tuán
游览景点的时间也非常充裕，还有随团

de yīshēng, gègè fāngmiàn dōu wèi lǎonián péngyou ānpái de
的医生，各个方面都为老年朋友安排得
tèbié zhōudao, zuì zhòngyào de shì néng gēn zhōuwéi de
特别周到，最重要的是能跟周围的
tuányǒu liáo dào yíkuàir qù. Suǒyǐ yuèláiyuè duō de
团友聊到一块儿去。所以越来越多的
lǎoniánrén xǐhuan shàng le chéngzuò "Xīyánghóng" hào lǚyóu.
老年人喜欢上了乘坐“夕阳红”号旅游。

Wáng nǎinai suǒ cānjiā de "Xīyánghóng" hào yòu chūfā
王奶奶所参加的“夕阳红”号又出发
le, zhè cì shì yào qù Wǔtái Shān, Xī'ān, Gānsù hé
了，这次是要去五台山、西安、甘肃和
Xīnjiāng, yígòng xūyào duō tiān. Zhè cì Wáng nǎinai hái
新疆，一共需要20多天。这次王奶奶还

jièshàole qīnqi péngyou yìqǐ qù. Tāmen yuǎnlíle dà
介绍了 亲戚 朋友 一起 去。他们 远离了 大

chéngshì de chǎonào hé wūrǎn
城市 的 吵闹 (uproar, tumult) 和 污染

, yuǎnlíle shǒu zài lóufáng li de gūdú,
(pollution)，远离了 守 在 楼房 里 的 孤独，

bànzhe huǒchē de qìdíshēng, yílù huāngē-xiàoyǔ, yòu
伴着 火车 的 汽笛声，一路 欢歌笑语，又

kāishǐle xīn de lǚchéng.
开始了 新 的 旅程。

Chéngshì Yèsè Měi

# 城市夜色美

Céngjīng yǒu yí wèi lǚyóu zázhì de biānjí shuō: yào
曾经 有 一 位 旅游 杂志 的 编辑 说：要

guānchá yí gè chéngshì zuì zhēnshí de yí miàn, jiù yào zài
观察 一 个 城市 最 真实 的 一 面，就 要 在

nàr de yèsè li chuānxíng. Hěn duō lǚxíngzhě láidào yí
那儿 的 夜色 里 穿行。很 多 旅行者 来到 一

zuò chéngshì, bùjǐnjǐn shì wèile cānguān rénshān-rénhǎi de
座 城市，不仅仅 是 为了 参观 人山人海 的

míngshèng gǔjì , ér shì gèng yuànyi qù fāxiàn chéngshì de
名胜古迹，而是更愿意去发现城市的
lìng yì zhǒng měi, bǐrú dìdìdàodào de lǎobǎixìng de
另一种美，比如地地道道的老百姓的
shēnghuó qǐjū , cáng zài mǒu yì tiáo jiē shang de měishí
生活起居，藏在某一条街上的美食
xiǎodiàn , yǐjí zhège chéngshì yèwǎn de sècǎi .
小店，以及这个城市夜晚的色彩。

Xī'ān , gǔshí chēngwéi "Cháng'ān" , shì Zhōngguó lìshǐ
西安，古时称为“长安”，是中国历史
yōujiǔ de gǔdōu zhīyī . Rúguǒ báitiān nǐ yào yóulǎn
悠久的古都之一。如果白天你要游览
Bīngmǎyǒng , Huáqīngchí , Bēilín , nàme yèwǎn de shíhou
兵马俑、华清池、碑林，那么夜晚的时候
yídìng búyào cuòguò Zhōng-gǔlóu , Huímín Jiē , Běi
一定不要错过钟鼓楼、回民街、北

Guǎngchǎng. Yèyóu Xī'ān, mèng huí dàtáng, néng tǐyàn dào
广场。夜游西安，梦回大唐，能体验到

gǔdū mènghuàn zhī měi. Zài Xī'ān yǒu jù xiàohua: yèwǎn
古都梦幻之美。在西安有句笑话：夜晚

chūmò de lǎowài yào bǐ báitiān zài Bīngmǎyǒng kàndào de
出没的老外要比白天在兵马俑看到的

táorénr hái duō. Xǐhuan yèxíng de rén gèng dǒngde xīnshǎng
陶人儿还多。喜欢夜行的人更懂得欣赏

Xī'ān yèwǎn de sècǎi: zài gǔ chéngqiáng shang qí yì quān
西安夜晚的色彩：在古城墙上骑一圈

zìxíngchē, búbì xiàng báitiān nàyàng dǐngzhe dàdà de tàiyáng;
自行车，不必像白天那样顶着大大的太阳；

zài huímín Jiēshang pǐncháng měishí, dēngguāng xià yóuliàng de
在回民街上品尝美食，灯光下油亮的

tāng, báinèn de ròu xiǎnde gèngjiā yòurén; Zhōng-gǔlóu jí
汤、白嫩的肉显得更加诱人；钟鼓楼及

Fúróngyuán li de tíngtái-lóugé zài gèzhǒng guāng de yìngchèn
芙蓉园里的亭台楼阁在各种光的映衬

xià, gèng ràng rén gǎnshòu dào gǔdài huánggōng fùlì-tánghuáng
下，更让人感受到古代皇宫富丽堂皇

de qìxī. Shēnghuó zài Xī'ān duōnián de Yìdàlìrén Bǎoluó
的气息。生活在西安多年的意大利人保罗

shuō, yèsè gèng néng zhǎnshì chū Xī'ān shùqiān nián chénjī
说，夜色更能展示出西安数千年沉积

de shénmìgǎn.
的神秘感。

Bǎoluó duì shìjiè gèdì de yèsè dōu yǒuzhe nónghòu de
保罗对世界各地的夜色都有着浓厚的

xìngqù . Rúguǒ nǐ wèn tā Zhōngguó zuì měi de yèsè zài
兴趣。如果你问他 中国 最美的夜色在

nǎli , tā kěndìng huì huídá shì Xiānggǎng ; nǐ yàoshì wèn
哪里，他 肯定 会 回答 是 香港；你 要是 问

tā guānshǎng Xiānggǎng yèjǐng zuì hǎo de dìdiǎn shì nǎli ,
他 观赏 香港 夜景 最 好 的 地点 是 哪里，

tā yídìng huì huídá shì Tàipíng Shān dǐng .
他 一定 会 回答 是 太平 山 顶。

Zhàn zài Tàipíngshān dǐng , Xiānggǎng de fánhuá
站 在 太平山 顶， 香港 的 繁华

yímùliǎorán : Wéiduōlìyà gǎngwān
一目了然 (be clear at a glance)：维多利亚 港湾

liǎng àn dēngguāng cuǐcàn rú yínhé ,
两岸 灯光 璀璨 (bright, radiant) 如 银河，
Xiānggǎng dìbiāo jiànzhù Zhōngyín Dàshà gāogāo sǒnglì . Quán
香港 地标 建筑 中银 大厦高高耸立。全
shìjiè zuì cháng de diàoqiáo " Qīng mǎ dà qiáo " bèi qīcǎi
世界最 长 的 吊桥“青 马大桥”被 七彩
dēngguāng zhàoshè de rúmèng-rúhuàn .
灯光 照射 得 如梦如幻。

Lánguìfáng shì Xiānggǎng yèjiān zuì rènao de dìfang ,
兰桂坊 是 香港 夜间 最 热闹 的地方，
zhèli yǒu hěnduō jiǔbā hé fànguǎn . Zài Xiānggǎng zhè zuò
这里 有 很多 酒吧 和 饭馆。在 香港 这 座
búyèchéng , yuēshàng sānwǔ zhījǐ dào Lánguìfáng , kāihuái
不夜城， 约上 三五 知己 到 兰桂坊，开怀
chàngyǐn , yě bùshīwéi yí jiàn lè shì . Zài jiérì qījiān ,
畅饮，也 不失为 一 件 乐 事。在 节日 期间，
yóuqí shì Chúxī hé Shèngdànjié , zhèli gèng shì dēnghuǒ
尤其 是 除夕 和 圣诞节，这里 更 是 灯火
tōngmíng , rènao fēifán , xǔduō rén lái zhèli yǔ péngyou
通明，热闹 非凡，许多 人 来 这里 与 朋友
jìnqíng wánlè , qìngzhù jiérì .
尽情 玩乐，庆祝 节日。

Shuōdào yèjǐng , jiù bùdébù tí Shànghǎi Wàitān .
说到 夜景，就 不得不 提 上海 外滩。
Yèmù jiànglín , wàitān de " wànguó jiànzhù " pīshàng huálì
夜幕 降临，外滩 的“万国 建筑”披上 华丽
de wàiyī , dēnghuǒ huīhuáng , níhóng shǎnshuò , ràng rén
的 外衣，灯火 辉煌，霓虹 闪烁，让 人

hǎoxiàng láidào tónghuà shìjiè, fēn bu qīng shì báitian háishi
好像来到童话世界，分不清是白天还是

hēiyè. Rúguǒ cǐshí nǐ zuò zài Huángpǔ Jiāng de yóulún
黑夜。如果此时你坐在黄浦江的游轮

shang tiàowàng wàitān, yìhuò shì dēngshàng Dōngfāng Míngzhū
上眺望外滩，抑或是登上东方明珠

tǎ, fǔshì zhěng zuò chéngshì, nǐ huì kàndào yí gè yǔ
塔，俯视整座城市，你会看到一个与

báitiān jiérán-bùtóng de Shànghǎi, fánhuá, měilì de lìngrén
白天截然不同的上海，繁华、美丽得令人

táozuì.
陶醉。

Měidào yízuò mòshēng de chéngshì, chúle báitiān yóulǎn
每到一座陌生的城市，除了白天游览

míngshèng gǔjì , pǐncháng fēngwèi shípǐn zhīwài , qiānwàn bié
名胜 古迹、品尝 风味 食品 之外，千万 别

wàngle zài huádēng chūshàng zhīhòu zài zhè zuò chéngshì de
忘了 在 华灯 初上 之后 在 这 座 城市 的

jiēdào shàng zǒuzǒu , yèsè lǒngzhào de chéngshì zǒngnéng ràng
街道 上 走走，夜色 笼罩 的 城市 总能 让

nǐ tǐyàn dào tā de lìng yì zhǒng měi .
你 体验 到 它 的 另 一 种 美。

# Mài Fáng Yóu Shìjiè
# 卖房游世界

Zài xiànjīn Zhōngguó， yǒude fùmǔ wèile gěi zǐnǚ mǎi
在现今中国，有的父母为了给子女买

hūnfáng huādiào bànshēng jīxù， yǒude rén yīnwèi nányǐ
婚房花掉半生积蓄，有的人因为难以

chéngshòu gāo fángjià ér líkāi dàichéngshì huídào jiāxiāng，
承受高房价而离开大城市回到家乡，

háiyǒu rén bǎ fángzi zuòwéi zìjǐ suì yǐqián fèndòu de
还有人把房子作为自己30岁以前奋斗的

mùbiāo. Kějiàn， zài yǐ tǔdì wéi zhòng de chuántǒng
目标。可见，在以土地为重的传统

Zhōngguórén yǎn li, yí tào shǔyú zìjǐ de fángzi zài
中国人 眼里，一套属于自己的房子在
lǎobǎixìng de shēnghuó zhōng shì duōme zhòngyào. Kěshì què
老百姓的 生活 中 是多么 重要。可是却
yǒu nàme yì qún rén yǔzhòngbùtóng, zài biéren wèi mǎi fáng
有那么一群人与众不同，在别人为买房
mǎi chē fāchóu shí tāmen què mài fáng mài chē, kāishǐle
买车发愁时，他们却卖房卖车，开始了
míngwéi "bùkě diàotóu" de huánqiú zhī lǚ.
名为“不可掉头”的环球之旅。

Zhè cì huódòng de fāqǐrén shì Chén Hànbīn, cānjiā
这次 活动 的发起人是陈 翰宾，参加
huódòng de shì jǐ wèi niánqīngrén. Zài dú dàxué shí, Chén
活动 的是几位年轻人。在读大学时，陈
Hànbīn jiù zài wàimian chuàngyè kāi gōngsī, bìyè hòu dǎpīn
翰宾就在外面 创业 开公司，毕业后打拼
wǔ-liùnián, mǎile fáng hé chē. nián tā kāishǐ jìhuá
五六年，买了 房和车。2010年他开始计划
zhè cì lǚxíng. nián zhìtóngdàohé de jǐgè rén màidiào
这次 旅行。2012年 志同道合 的几个人卖掉
jiāchǎn, yìqǐ kāishǐle huányóu shìjiè de lǚxíng Zhìyú wèi
家产，一起开始了环游世界的旅行。至于为
shénme bǎ zhè cì lǚxíng jiàozuò "bùkě diàotóu", tāmen
什么把这次旅行叫作“不可掉头”，他们
jiěshì dào: "Shìshàng méiyǒu kěyǐ huítóu de lù. Wǒmen
解释道：“世上 没有 可以 回头 的 路。我们
měi tiān dōu xíngzǒu zài gèzhǒnggèyàng de lù shang, miànlínzhe
每天 都 行走 在 各种各样 的路上，面临着

rénshēng de xuǎnzé. Kěnéng wǒmen de zhè cì lǚxíng huì yǒu
人生的选择。可能我们的这次旅行会有

bùhǎo de jiéguǒ, dàn búlùn shì kuàilè háishi tòngkǔ, dōu shì
不好的结果，但不论是快乐还是痛苦，都是

rénshēng de yì zhǒng jīnglì. Rénshēng de xuǎnzé shì wúfǎ
人生的一种经历。人生的选择是无法

huítóu de." Tāmen jìhuá yòng duō tiān zǒuwán duō
回头的。”他们计划用600多天走完60多

gè guójiā, duō gè chéngshì. Tāmen de chēshēn shang,
个国家、200多个城市。他们的车身上、

tǒngyī zhuózhuāng shang dōu yìnzhe sì gè zì: bùkě diàotóu.
统一着装上都印着四个字：不可掉头。

Zhè yílù, tāmen jiāng yòng "bùkě diàotóu" zhège wēibó
这一路，他们将用“不可掉头”这个微博

zuò zhíbō， jìlù měi yì tiān de lǚxíng shēnghuó.
做直播，记录每一天的旅行生活。

Gǎnyú mài fáng yóu shìjiè de bùjǐnjǐn shì niánqīngrén，
敢于卖房游世界的不仅仅是年轻人，
Guǎngdōngrén Zhāng dàye Zhāng dàmā shì lǎoniánrén de
广东人张大爷张大妈是老年人的
dàibiǎo. Jǐ nián qián tāmen qù Yúnnán lǚyóu de shíhou，
代表。几年前他们去云南旅游的时候，
pèngdào hǎo jǐ gè yí jù Zhōngwén dōu bú huì shuō de lǎowài
碰到好几个一句中文都不会说的老外
zài nàli wánr de yǒuzī-yǒuwèi， zhè jīfāle tāmen huányóu
在那里玩儿得有滋有味，这激发了他们环游
shìjiè de xiǎngfǎ. Lǎoliǎngkǒu huídào Guǎngdōng jiù bǎ fángzi
世界的想法。老两口回到广东就把房子
mài le， kāishǐle tāmen de huánqiú zhī lǚ. Lǎoliǎngkǒu zhǐ
卖了，开始了他们的环球之旅。老两口只
huì sì gè Yīngwén dāncí “ ” “ ” “ ” “ ”，
会四个英文单词“this”“that”“yes”“no”，
qítā de gōutōng jiù dōu kào zhītǐ
其他的沟通(communication)就都靠肢体
yǔyán. Yòng zhèyàng de fāngshì tāmen yǐjīng yóulìle Ōuzhōu
语言。用这样的方式他们已经游历了欧洲
hé Dōngnányà de gè guójiā， érqiě tāmen hái zài jìxù
和东南亚的14个国家，而且他们还在继续
lǚxíng.
旅行。

Hěn duō rén wèn tāmen wèishénme yào màidiào làiyǐ yǎnglǎo
很多人问他们为什么要卖掉赖以养老

de fángzi qù lǚyóu . Zhāng dàye shuō , zhōuyóu shìjiè bǐ
的房子去旅游。张大爷说，周游世界比

fángzi gèng zhòngyào , zhè shì tā hé lǎobàn zuìhòu de
房子更重要，这是他和老伴最后的

mèngxiǎng , láolèile dàbàn bèizi , yìnggāi gěi zìjǐ
梦想，劳累了大半辈子，应该给自己

chuàngzào jīhuì kànkan wàimiàn de shìjiè . liǎngquánqíměi
创造机会看看外面的世界。两全其美

zuìhǎo , dàn rúguǒ bìxū fàngqì yí
(satisfy both sides) 最好，但如果必须放弃一

gè , tāmen huì xuǎnzé zhōuyóu shìjiè . Fángzi , cáifù néng
个，他们会选择周游世界。房子、财富能

dàilái kuàilè , dàn bú shì wúxiàn de xìngfú , wǎnnián de xìngfú
带来快乐，但不是无限的幸福，晚年的幸福

jiù shì yìnggāi ànzhào zìjǐ xiǎng yào de fāngshì qù shēnghuó .
就是应该按照自己想要的方式去生活。

Bú zuò fáng nú , bú zuò chē nú , bú zuò cái nú ,
不做房奴，不做车奴，不做财奴，

zhuīxún mèngxiǎng , guò zìjǐ xiǎng guò de shēnghuó , zhè jiù
追寻梦想，过自己想过的生活，这就

shì tāmen huó de kuàilè , xiào de kāixīn de yuányīn .
是他们活得快乐、笑得开心的原因。

Nà Shān Nà Shuǐ
# 那山那水

Xiàndài shèhuì shēnghuó jiézòu kuài, zài láizì gōngzuò,
现代社会生活节奏快，在来自工作、

shēnghuó de chóngchóng yālì xià, yǒude rén huì xuǎnzé
生活的重重压力下，有的人会选择

yuǎnyóu lái fàngsōng shēnxīn, qù yí piàn níngjìng xiánghé zhī
远游来放松身心，去一片宁静祥和之

dì rēngdiào kùnhuò hé fánnǎo, sīkǎo wèilái hé rénshēng.
地扔掉困惑和烦恼，思考未来和人生。

Dàshān shì Běijīng yì suǒ gāoxiào Měishù Xì de lǎoshī,
大山是北京一所高校美术系的老师，

zhè fèn gōngzuò ràng tā bǐ zài gōngsī shàngbān de báilǐngmen
这份工作让他比在公司上班的白领们

duōle liǎng gè chángjià. Měi dào jiàqī, tā jiù bēibāo
多了两个长假。每到假期，他就背包

yuǎnxíng, qù yěwài huàhuà. Dàshān zhuīqiú de shì nàzhǒng
远行，去野外画画。大山追求的是那种

wèi bèi kāifā de shānyě zhī dì. Qùnián qī-bāyuèfèn, tā yí
未被开发的山野之地。去年七八月份，他一

lù xiàng xī, dàole Xīnjiāng de Zhāosū. Zhāosū, yí gè
路向西，到了新疆的昭苏。昭苏，一个

měilì de míngzi, zhèng rú tā měilì de fēngjǐng. Dàshān zài
美丽的名字，正如它美丽的风景。大山在

zhèli dāile zhěngzhěng yí gè yuè, shōuhuòle shí fú huàzuò,
这里待了整整一个月，收获了十幅画作，

shàng qiān zhāng zhàopiàn. Dàshān shuō, tā hènbudé bǎ
上千张照片。大山说，他恨不得把

zhèli měi yí cùn tǔdì, měi yí cùn tiānkōng, měishí měikè
这里每一寸土地、每一寸天空、每时每刻

dōu jìlù xiàlai, tā bù xiǎng cuòguò rènhé měi de shùnjiān.
都记录下来，他不想错过任何美的瞬间。

Tiāntáng hěn yuǎn, Zhāosū hěn jìn. Zhāosū de měi shì
天堂很远，昭苏很近。昭苏的美是

dàzìrán cìyǔ de, wèi jīng diāoshì, yíqìhēchéng. Xuěshān,
大自然赐予的，未经雕饰，一气呵成。雪山，

cǎoyuán, húpō, shāmò, gēbì. Yǒuxiē rén shuō zhèli
草原，湖泊，沙漠，戈壁。有些人说这里

quēshǎo rénwén hé lìshǐ de qìxī, búguò yěxǔ zhèngshì
缺少人文和历史的气息，不过也许正是

zhèyàng, zhèli cái néng bèi wánzhěng bǎocún xiàlai. Shēnghuó
这样，这里才能被完整保存下来。生活

zài Zhāosū de jīběn dōu shì mùmín, yóukè hěn shǎo. Dàduō
在昭苏的基本都是牧民，游客很少。大多

shíhou, zhèli yángguāng cànlàn, kōngqì qīngxīn, lántiān
时候，这里阳光灿烂，空气清新，蓝天

chúnjìng, báiyún piāoyì. Shí'ér yě huì lái cháng hōnghōnglièliè
纯净，白云飘逸。时而也会来场轰轰烈烈

dàn zhuǎnshùnjíshì de dàyǔ, yùnqi hǎo dehuà, yǔhòu hái
但转瞬即逝的大雨，运气好的话，雨后还

kěyǐ kàndào cǎihóng. Yì tiān bàngwǎn shífēn, Dàshān ǒuyù
可以看到彩虹。一天傍晚时分，大山偶遇

Hāsàkèzú de hūnlǐ —— chuānzhe mínzú fúzhuāng de
哈萨克族的婚礼——穿着民族服装的

rénmen, lāzhe shǒufēngqín, zài xīyáng de yìngzhào xià,
人们，拉着 手风琴，在 夕阳 的 映照 下，

huānchàng zhe tōngguò dàqiáo. Nàzhǒng kuàilè wēnxīn de
欢唱 着 通过 大桥。那种 快乐 温馨 的

gǎnjué, fēicháng měihǎo.
感觉，非常 美好。

Dàshān shuō, xiànzài Zhōngguó hěnduō zhùmíng de jǐngqū
大山 说，现在 中国 很多 著名 的 景区

yóuyú guòdù shāngyèhuà kāifā, yǐjīng hěn nán zhǎodào yuánlái
由于过度 商业化 开发，已经 很 难 找到 原来

de zìrán fēngqíng, yào xiǎng kàndào Zhāosū zhèyàng de xuěshān
的 自然 风情，要 想 看到 昭苏 这样 的 雪山

chéng hú, fánhuā cǎodiàn, chúnpǔ de fēngtǔrénqíng, shì yào
澄 湖，繁花 草甸，淳朴 的 风土人情，是 要

dà fèi zhōuzhé de . Cóng Běijīng zuò fēijī dào Wūlǔmùqí ,
大费周折的。从北京坐飞机到乌鲁木齐，

zhuǎn huǒchē dào Yīníng , zài dǎo qìchē dào Zhāosū , lù shang
转火车到伊宁，再倒汽车到昭苏，路上

yào huāfèi jiāng jìn liǎng tiān de shíjiān . Dànshì yíxià qìchē ,
要花费将近两天的时间。但是一下汽车，

nǐ jiù huì fāxiàn , suǒyǒu de zhōuchē láokǔ dōu zhí le , zài
你就会发现，所有的舟车劳苦都值了，在

zhèli nǐ kěyǐ diūdiào wénmíng shìjiè de wěizhuāng , zòngqíng
这里你可以丢掉文明世界的伪装，纵情

gāogē , huányuán yí gè chúnjìng , zhēnshí de zìwǒ .
高歌，还原一个纯净、真实的自我。

Yuèshì zìrán de , yuèshì měihǎo de , yuèshì yuǎnlí rénqún
越是自然的，越是美好的，越是远离人群

de dìfang, jǐngsè yuèshì měi, jǐngsè yuèshì měi de dìfang,
的地方，景色越是美，景色越是美的地方，

yuèshì nányǐ dàodá. Kèfú chóngchóng xiǎnzǔ, qù
越是难以到达。克服重重险阻，去

rénjìhǎnzhì de dìfang tǐhuì yíxià "shānchóng-shuǐfù yí wú
人迹罕至的地方体会一下“山重水复疑无

lù, liǔ'àn-huāmíng yòu yì cūn" de yìjìng, yě shì duì zìjǐ
路，柳暗花明又一村”① 的意境，也是对自己

de yì zhǒng móliàn.
的一种磨练。

---

① After climbing over one mountain after another, and crossing one river after another, one doubts there is no way ahead; then suddenly in between the green willows and fresh flowers, a beautiful hidden village appears. This refers to having a sudden glimpse of hope in the dark midst of bewilderment, or after experiencing many kinds of difficulties.

Qióngyóu Yóu Shénme

# 穷游游什么

Céngjīng chángcháng tīngdào rénmen zhèyàng bàoyuàn： yǒu
曾经 常常 听到 人们 这样 抱怨：有

shíjiān de shíhou méiyǒu qián； děng yǒule qián què yòu méiyǒu
时间 的 时候 没有 钱；等 有了 钱 却 又 没有

shíjiān， yìsi shì shuō zǒng yǒu zhèyàng huò nàyàng de yuányīn
时间，意思 是 说 总 有 这样 或 那样 的 原因

shǐ rén wúfǎ tàshàng lǚchéng. Cānjiā lǚxíngtuán chūxíng xūyào
使人无法踏上旅程。参加旅行团出行需要
jǐqiān kuài qián, zhè ràng yōngyǒu hán-shǔjià de dàxuéshēng duì
几千块钱，这让拥有寒暑假的大学生对
lǚxíng wàng'érquèbù; shàngbān yǐhòu, suīrán kāishǐ yǒule
旅行望而却步；上班以后，虽然开始有了
cúnkuǎn, kě yì nián zhǐ yǒu jǐ tiān de niánjià, zhè jǐ tiān
存款，可一年只有几天的年假，这几天
jiàqī jiù xiàng shì shāmò lǐ de kuàngquánshuǐ, zǒng xiǎng
假期就像是沙漠里的矿泉水，总想
yòng zài zuì yìnggāi shǐyòng de dìfang. Jiù zhèyàng hěn duō
用在最应该使用的地方。就这样，很多
niánqīngrén suīrán chángcháng bǎ lǚxíng guà zài zuǐbiān, dàn
年轻人虽然常常把旅行挂在嘴边，但
chángcháng gǎndào wúnài, zǒngshì mài bu kāi dì-yī bù.
常常感到无奈，总是迈不开第一步。

Kě xiànzài jiù bù yíyàng le, dàxuéshēngmen lìyòng fādá
可现在就不一样了，大学生们利用发达
de hùliánwǎng hé diànzǐ shāngwù jiù néng ānpái piányi de
的互联网和电子商务就能安排便宜的
lǚchéng, yě búbì cānjiā shénme lǚxíngtuán, sìhū zhǐyào
旅程，也不必参加什么旅行团，似乎只要
hán-shǔjià láilín, jiù kěyǐ lái yí cì shuō zǒu jiù zǒu de
寒暑假来临，就可以来一次说走就走的
lǚxíng, ràng rén xiànmù bùyǐ.
旅行，让人羡慕不已。

Lǐ Léi shì dà èr de xuésheng, fùmǔ zhǐshì gōngxīn
李雷是大二的学生，父母只是工薪

jiēcéng, suǒyǐ tā měigè yuè de shēnghuófèi bú dào qiān yuán,
阶层，所以他每个月的生活费不到千元，
dànshì zhè bìng bù néng zǔdǎng tā fēichū zhè piàn xiǎo tiāndì de
但是这并不能阻挡他飞出这片小天地的
juéxīn. Cóng dà yī kāishǐ, tā jiù jiānchí kào dǎgōng lái
决心。从大一开始，他就坚持靠打工来
jīlěi zījīn hé shèhuì jīngyàn, zài lìyòng hán-shǔjià, hé
积累资金和社会经验，再利用寒暑假，和
tóngxué yìqǐ ānpái yí cì chángtú lǚxíng.
同学一起安排一次长途旅行。

Dì-yī cì ānpái xíngchéng de shíhou, Lǐ Léi suīrán
第一次安排行程的时候，李雷虽然
zuànzhe jǐ qiān kuài qián,
攥着几千块钱，
dànshì yào ānpái yí cì
但是要安排一次
chángdá tiān de lǚxíng
长达30天的旅行
hái shì yǒuxiē jǐnzhāng. Lǐ
还是有些紧张。李
Léi zài wǎngshàng cházhǎo
雷在网上查找
biéren de lǚyóu gōnglüè,
别人的旅游攻略，
bǎ gèzhǒng shěngqián de
把各种省钱的
fǎzi shōují qǐlai. Bǐrú
法子收集起来。比如

nǎxiē qīngnián lǚguǎn kěyǐ yìwù láodòng dàitì zhùsùfèi ,
哪些青年旅馆可以义务劳动代替住宿费，
nǎxiē lǚguǎn huò kāfēiguǎn chángnián yǒurén zǔzhī pīnchē ,
哪些旅馆或咖啡馆常年有人组织拼车，
shénme shíhou néng qiǎngdào tèjià jīpiào , shènzhì kǎolǜ dào
什么时候能抢到特价机票，甚至考虑到
zài wàidì shàngxué de lǎo tóngxué sùshè li qù cèng chuáng ,
在外地上学的老同学宿舍里去蹭床，
zhèxiē dōu shì Lǐ Léi zhèyàng de qióngyóuzhě dǎsuan lìyòng
这些都是李雷这样的穷游者打算利用
yǒuxiàn de zījīn zǒu gèng duō dìfang ér xiǎngchū de bànfǎ .
有限的资金走更多地方而想出的办法。

Shuō dào qióngyóu, jiù bùdébù shuō qīngnián lǚguǎn. Shí
说到穷游，就不得不说青年旅馆。十
nián qián, zài Zhōngguó de gègè chéngshì hái liáoliáo-wújǐ de
年前，在中国的各个城市还寥寥无几的
qīngnián lǚguǎn li dàdōu hái shì yìguó miànkǒng, dàn xiànzài
青年旅馆里大都还是异国面孔，但现在
qīngnián lǚguǎn zài gè dà lǚyóu chéngshì biàndì kāihuā, lǐmian
青年旅馆在各大旅游城市遍地开花，里面
yǒule yuèláiyuè duō de Zhōngguó niánqīngrén. Zài zhèli,
有了越来越多的中国年轻人。在这里，
tāmen néng sānwǔ-chéngqún de liánluò qǐlai pīn chē qù piānyuǎn
他们能三五成群地联络起来拼车去偏远
de jǐngdiǎn; zài zhèli, tāmen lèyì fēnxiǎng gèzì lǚtú
的景点；在这里，他们乐意分享各自旅途
zhōng de jiànwén, yě yuànyi bāngzhù chūlái-zhàdào de xīnshǒu.
中的见闻，也愿意帮助初来乍到的新手。
Qīngnián lǚguǎn yǎnrán chéngle qióngyóuzhěmen xiūzhěng de
青年旅馆俨然成了穷游者们休整的
dàběnyíng.
大本营。

Lǐ Léi juéde qióngyóu de lìng yí dà lèqù shì qù kāibì
李雷觉得穷游的另一大乐趣是去开辟
wèizhī de shìwài táoyuán. fānshān-yuèlǐng,
未知的世外桃源。背包客们翻山越岭，
chángtú-báshè, zuìzhōng zhǎodào wèi bèi xiàndài wénmíng gǎibiàn
长途跋涉，最终找到未被现代文明改变
de zìrán lètǔ, cóng'ér tǐyàn dào fāxiàn de kuàilè. Tāmen
的自然乐土，从而体验到发现的快乐。他们

zài nàli jìlùxià dāngdì zhìpǔ de shēnghuó, dútè de
在那里记录下 当地 质朴 的 生活、独特 的

jiànzhù hé měishí, bìng cóngzhōng gǎnshòudào mòdà de
建筑 和 美食，并 从中 感受到 莫大 的

chéngjiùgǎn.
成就感。

Xiànzài yuèláiyuè duō de niánqīngrén jiārù dào le qióngyóu
现在 越来越 多 的 年轻人 加入 到 了 穷游

de hángliè. Duìyú niánqīngrén láishuō, qióngyóu shì yì zhǒng
的 行列。对于 年轻人 来说，穷游 是 一 种

móliàn yìzhì, kāituò yǎnjiè, fēngfù rénshēng jīnglì de hǎo
磨练 意志、开拓 眼界、丰富 人生 经历的好

bànfǎ. Chèn wǒmen niánqīng, duō chūqu kànkan shìjiè ba!
办法。趁 我们 年轻，多 出去 看看 世界吧！

Shéjiān Zhī Lǚ

# 舌尖之旅

Yí gè lǚyóu shèngdì zhīsuǒyǐ néng xīyǐn wànqiān de
一个旅游胜地之所以能吸引万千的

yóukè zhìcǐ, chángcháng shì píngjiè dāngdì hòuzhòng de lìshǐ
游客至此，常常是凭借当地厚重的历史

wénhuà, huò biéyàng de fēngtǔ rénqíng, huò dútè de
文化，或别样的风土人情，或独特的

qīngshān-lǜshuǐ. Qíshí háiyǒu yì tiáo jīngcháng bèi rénmen hūlüè
青山绿水。其实还有一条经常被人们忽略

de lǐyóu —— yǒu dìyù tèdiǎn de měishí shì rénmen xuǎnzé
的理由——有地域特点的美食是人们选择

lǚxíng mùdìdì de lìngwài yí gè zhòngyào yīnsù. XiǎoZhuāng,
旅行目的地的另外一个重要因素。小庄，

yí gè zīshēn “chīhuò”
一个资深“吃货”

, tā rènwéi, zài
(foodie)，他认为，在

lǚxíng túzhōng chīshàng yí dùn
旅行途中吃上一顿

měiwèi dàcān bǐ zài jǐngdiǎn wán
美味大餐比在景点玩

zìpāi yào tòngkuai de duō.
自拍要痛快得多。

Xiǎo Zhuāng zhīsuǒyǐ bèi péngyoumen chēngwéi zīshēn
小庄之所以被朋友们称为资深
“chīhuò”, nà shì yǒu yuányīn de. Běijīng chéng li zhǐyào shì
“吃货”，那是有原因的。北京城里只要是
yǒu diǎnr míngqi de fànguǎnr, nǐ yì shuō míngzi, Xiǎo
有点儿名气的饭馆儿，你一说名字，小
Zhuāng néng mǎshàng bǎ dìzhǐ hé zhāopaicài bào chūlai, hái
庄能马上把地址和招牌菜报出来，还
néng shuōchū zhè jiā fànguǎnr de yōu-quēdiǎn. Tā céngjīng zài
能说出这家饭馆儿的优缺点。他曾经在
yì jiā měishí zázhì dāngguo biānjí, tā de wénzhāng yǐ
一家美食杂志当过编辑，他的文章以
huìshēng-huìsè de miáoshù hé yōumò de píngjià ér shēnshòu
绘声绘色的描述和幽默的评价而深受
dúzhě xǐ'ài.
读者喜爱。

nián, yí dàng jìlùpiàn zài Yāngshì bōchū, tā hái
2012年，一档纪录片在央视播出，它还
zhànjùle duō jiā shìpín wǎngzhàn de diǎnjīshuài bǎngshǒu, nà
占据了多家视频网站的点击率榜首，那
jiùshì《Shéjiān Shang De Zhōngguó》. Zhè shì yí bù jièshào
就是《舌尖上的中国》。这是一部介绍
Zhōngguó yǐnshí wénhuà de jìlùpiàn, gǔlǎo de zhìzuò
中国饮食文化的纪录片，古老的制作
gōngyì, tiānrán wú wūrǎn de shícái, zài jiāshàng qiàdào-hǎochu
工艺，天然无污染的食材，再加上恰到好处
de pēngrèn shǒufǎ hé tiáoliào huìchéng yí dàodào wèijué
的烹饪手法和调料汇成一道道味觉

shèngyàn, lìng rén xīnchí-shénwǎng.
盛宴，令人心驰神往。

Zhè bù jìlùpiàn de rèyìng gěile Xiǎo Zhuāng línggǎn, tā
这部纪录片的热映给了小庄灵感，他

juéxīn xiě yì běn yǐ měishí wéi mùdì de lǚyóu gōnglüè. Wèi
决心写一本以美食为目的的旅游攻略。为

cǐ, Xiǎo Zhuāng bùjǐn lìyòng jiéjiàrì, érqiě hái jījí
此，小庄不仅利用节假日，而且还积极

zhēngqǔ gōngzuò dāngzhōng chūchāi de jīhuì bēnfù Zhōngguó
争取工作当中出差的机会奔赴中国

gèdì, pǐncháng dāngdì de měiwèi, bìng zhuànxiě měishí dìtú.
各地，品尝当地的美味，并撰写美食地图。

Tā yào zhǎo de bú shì nàxiē guǎngwéi chuánsòng de gāo
他要找的不是那些广为传颂的高

zhīmíngdù fànguǎnr, érshì nàzhǒng cáng yú shēn xiàng
知名度饭馆儿，而是那种藏于深巷

dāngzhōng, yīkào dàidài xiāngchuán de shǒuyì huò pèifāng
当中，依靠代代相传的手艺或配方

jīngyíng de lǎozìhào huò xiǎodiàn. Zhè shì yí gè jiānnán ér
经营的老字号或小店。这是一个艰难而

jùdà de gōngchéng, dàn Zhōngguó yǒu jù lǎohuà jiào "jiǔ
巨大的工程，但中国有句老话叫“酒

xiāng bú pà xiàngzi shēn". Gōngfu bú fù yǒuxīnrén. Jīngguò
香不怕巷子深”。功夫不负有心人。经过

dàliàng wǎngshàng cházhǎo hé shídì kǎochá, Xiǎo Zhuāng
大量网上查找和实地考察，小庄

zhěnglǐle yí dà pī shēn cáng zài mínjiān de měishí hé tèsè
整理了一大批深藏在民间的美食和特色

cānguǎnr .
餐馆儿。

Hā'ěrbīn lǎo chéngqū de yì tiáo pòjiù de hútòng li yǒu
哈尔滨老城区的一条破旧的胡同里有

yì jiā jiào "Sōngguāng Dà Bànggǔ" de fànguǎnr . Lǎoliǎngkǒu
一家叫"松光大棒骨"的饭馆儿。老两口

jīngyíng zhè jiā fànguǎnr yǐjīng jìn nián le , zhǔyíng jiàngshú
经营这家饭馆儿已经近30年了，主营酱熟

de ròushí , pèi yǐ liángbàn xiǎocài . Fànguǎnr zhǐyǒu zhāng
的肉食，配以凉拌小菜。饭馆儿只有8张

zhuōzi , càidān shang yě zhǐyǒu gè cài , jiàgé hěn jiǔ cái
桌子，菜单上也只有8个菜，价格很久才

gēngxīn yí cì . Jiùshì zhèyàng yì jiā xiǎo fànguǎnr , búlùn
更新一次。就是这样一家小饭馆儿，不论

hánshǔ , páiduì děng zhuō
寒暑，排队等桌

de rén dōu bùshǎo , zài
的人都不少，在

dāngdì kǒubēi fēicháng hǎo .
当地口碑非常好。

Xiǎo Zhuāng lái zhèli
小庄来这里

pǐncháng dào de bù zhǐ shì
品尝到的不只是

měiwèi de jiàngbànggǔ , hái
美味的酱棒骨，还

yǒu lǎoliǎngkǒu duì shíwù
有老两口对食物

pǐnzhì de jiānchí.
品质的坚持。

Hángzhōu línjìn Zhèjiāng Dàxué de yí gè yèshì li, yì
杭州临近浙江大学的一个夜市里，一
jiā jīngyíng tèsè kǎojītuǐ de tānzi jīngjiǔbùshuāi. Zhè-Dà
家经营特色烤鸡腿的摊子经久不衰。浙大
de xuésheng xìchēng, méi chīguo zhèr de kǎojītuǐ jiù děngyú
的学生戏称，没吃过这儿的烤鸡腿就等于
méi láiguo Zhè-Dà. Shènzhì yǒu bìyè duōnián de xiàoyǒu bù cí
没来过浙大。甚至有毕业多年的校友不辞
xīnkǔ, qiānlǐ-tiáotiáo pǎo huílai, jiù wèile cháng yi cháng
辛苦，千里迢迢跑回来，就为了尝一尝
dāngnián "qīngchūn de wèidào". Zhè jiā kǎo jītuǐ de tānzi
当年"青春的味道"。这家烤鸡腿的摊子
yǐrán chéngle shēnghuó zài zhèli de xuézǐmen de dìbiāo,
已然成了生活在这里的学子们的地标，

jiànzhèngzhe yǔ qīngchūn yǒuguān de rìzi .
见证着与青春有关的日子。

Shànghǎi jìnjiāo de yì jiā jīngyíng chuántǒng běnbāngcài
上海近郊的一家经营传统本帮菜

de fànguǎnr , diànzhǔ rì fù yí rì nián fù yì nián
(local dish) 的饭馆儿，店主日复一日年复一年

jiānchí yòng zìjǐ de biāozhǔn hé yuánzé qù tiāoxuǎn shànghǎo
坚持用自己的标准和原则去挑选上好

de shícái , wèi shíkèmen zhǔnbèi zuì zhèngzōng dìdao de
的食材，为食客们准备最正宗地道的

Shànghǎicài . Céngjīng lǎobǎnniáng hái xīwàng lǎobǎn néng jiàngdī
上海菜。曾经老板娘还希望老板能降低

shícái de biāozhǔn yǐ zēngjiā lìrùn , zhèyàng yě néng duō zhuàn
食材的标准以增加利润，这样也能多赚

xiē qián gěi érzi mǎi hūn fáng , bèi lǎobǎn yì kǒu huíjué le .
些钱给儿子买婚房，被老板一口回绝了。

Xiǎo Zhuāng shǐzhōng xiāngxìn , nàxiē zhāgēn zài mínjiān ,
小庄始终相信，那些扎根在民间，

wèidào hǎo , kǒubēi hǎo de xiǎo fànguǎnr , xiǎochī shì dāngdì de
味道好、口碑好的小饭馆儿、小吃是当地的

lǚyóu tèsè zhīyī , zhídé tā jìlù xiàlai , bìng jièshào gěi
旅游特色之一，值得他记录下来，并介绍给

shìjiè gèdì de shíkè , ràng tāmen zài kànguò fēngjǐng
世界各地的食客，让他们在看过风景

míngshèng zhī yú hái néng shēnrù jiēxiàng zhǎodào tèsè
名胜之余，还能深入街巷找到特色

měishí , mǎnzú shéjiān shang de xiǎngshòu .
美食，满足舌尖上的享受。

Yóu Xué Guīlái

# 游学归来

“Yóuxué” bú shì dānchún de lǚyóu, yě bú shì chúncuì
“游学”不是单纯的旅游，也不是纯粹

de liúxué, tā cǎiqǔ yǔyán xuéxí hé cānguān yóulǎn xiāng
的留学，它采取语言学习和参观游览相

jiéhé de móshì, kěyǐ ràng rén zài yóulì de guòchéng zhōng
结合的模式，可以让人在游历的过程中

zēngzhǎng jiànshi, tígāo yǔyán shuǐpíng, gǎnshòu yìguó
增长见识，提高语言水平，感受异国

wénhuà. Súhuà shuō “dú wàn juàn shū, xíng wànlǐ lù”.
文化。俗话说“读万卷书，行万里路”。

"Yóu" yǔ "xué" de wánměi jiéhé lìlái ràng rén xiàngwǎng.
"游"与"学"的完美结合历来让人向往。
Niánqīng shí de jīnglì hé jiànshi, wǎngwǎng juédìng rén yìshēng
年轻时的经历和见识，往往决定人一生
de zhìxiàng. Hěnduō zhōngguó de niánqīngrén zài kǎolǜ, Shìfǒu
的志向。很多中国的年轻人在考虑，是否
yìnggāi chèn niánqīng fàngxià shǒutóu de gōngzuò, qù guówài
应该趁年轻放下手头的工作，去国外
"fēi" yíhuìr.
"飞"一会儿。

Xiǎo Lín shì shēngwù zhìyào fāngmiàn de huàyànshī, měi tiān
小林是生物制药方面的化验师，每天
pào zài shíyànshì li gēn píngpíng guànguàn dǎ jiāodào,
泡在实验室里跟瓶瓶罐罐打交道，
gōngzuò zhōng néng jiēchù dào de xīnxiān de rén huò shì shǎo
工作中能接触到的新鲜的人或事少
zhī yòu shǎo. Zuì kǔmēn de shíhou, Xiǎo Lín shènzhì juéde,
之又少。最苦闷的时候，小林甚至觉得，
tā de péngyou zhǐyǒu shíyànshì li péibànzhe tā de xiǎo tùzi
他的朋友只有实验室里陪伴着他的小兔子
hé xiǎo báishǔ. Qùnián, Xiǎo Lín jùjué yǔ gōngsī qiān xùyuē
和小白鼠。去年，小林拒绝与公司签续约
hétong, zhǐ dàile bùzú yí gè yuè de shēnghuófèi qùle
合同，只带了不足一个月的生活费去了
Xīnxīlán, kāishǐle wéiqī yì nián de yóuxué shēnghuó.
新西兰，开始了为期一年的游学生活。

Niánqīngrén xuǎnzé zànshí fàngqì xiànzài de gōngzuò chūqu
年轻人选择暂时放弃现在的工作出去

yóuxué， tōngcháng shì chūyú liǎng zhǒng yuányīn： yī shì duì
游学， 通常 是出于 两 种 原因：一是对
zìjǐ de xiànzhuàng bù mǎn yì， xīwàng jiēchù xīn zhīshi. Èr
自己的 现状 不满意，希望 接触 新 知识。二
shì gǎnjué shēnghuó kūzào， xīwàng zài niánqīng de shíhou xíng
是感觉 生活 枯燥，希望 在 年轻 的时候 行
wànlǐ lù， jiànshi bùtóng de fēngjǐng. Zhè liǎngzhǒng xīntài
万里 路，见识 不同 的 风景。这 两 种 心态
Xiǎo Lín dōuyǒu.
小林 都有。

Xiǎo Lín láidào Xīnxīlán， biān dǎgōng， biān xuéxí
小林 来到 新西兰，边 打工，边 学习
yǔyán， biān lǚxíng. Zài zhōngcānguǎn xǐ pánzi shí， tā jiāo
语言，边 旅行。在 中餐馆 洗盘子 时，他 教

nàr de chúshī zuò tā de
那儿的厨师做他的

jiāxiāngcài; zài nóngchǎng bāngmáng
家乡菜；在农场帮忙

fàngmù, jǐ niúnǎi shí, tā lìyòng
放牧、挤牛奶时，他利用

zhuānyè zhīshi bāngzhù
专业知识帮助

nóngchǎngzhǔ gǎiliángle sìliào
农场主改良了饲料

pèifāng; zài yuánshǐ sēnlín túbù
配方；在原始森林徒步

chuānyuè shí, tā néng xùnsù
穿越时，他能迅速

zhǎodào kěyǐ shíyòng de jīng gǎn,
找到可以食用的茎杆，

hái xuéhuì le chā yú; zài yǔyán
还学会了叉鱼；在语言

xuéxiào xuéxí yǔyán de tóngshí,
学校学习语言的同时，

tā hái bāngzhù zhǔnbèi kǎo
他还帮助准备考

Xīnxīlán dàxué de péngyou fùxí
新西兰大学的朋友复习

huàxué fāngmiàn de zhuānyè
化学方面的专业

zhīshi — jiù zài jǐ gè yuè
知识——就在几个月

qián, zhèxiē zhuānyè zhīshi hái ràng tā juéde shì nàme de
前，这些专业知识还让他觉得是那么的
bīnglěng, xiànzài què gěi tā dàiláile kuàilè.
冰冷，现在却给他带来了快乐。

Gāng dào Xīnxīlán de shíhou, Xiǎo Lín fēicháng gūdú,
刚到新西兰的时候，小林非常孤独，
zǒu zài mòshēng de jiē shang, chúle láizìyú mòshēngrén
走在陌生的街上，除了来自于陌生人
lǐmào de wènhòu, tā zài zhège mòshēng de dìfang méiyǒu
礼貌的问候，他在这个陌生的地方没有
péngyou. Hòulái, tā tōngguò zhǎnshì zìjǐ de tècháng,
朋友。后来，他通过展示自己的特长、
àihào, mànmān de ràng zhōuwéi de rén liǎojiě zìjǐ, tā yě
爱好，慢慢地让周围的人了解自己，他也
tōngguò gōutōng, bāngzhù biéren shōuhuòle yǒuqíng. Jiànjiàn de,
通过沟通、帮助别人收获了友情。渐渐地，
Xīnxīlán zài Xiǎo Lín xīnzhōng biànde shúxī hé qīnqiè qǐlai, Xiǎo
新西兰在小林心中变得熟悉和亲切起来，小
Lín de yóuxué shēnghuó yě biànde yuèlái yuèchōngmǎn lèqù.
林的游学生活也变得越来越充满乐趣。

Zhè cì yóuxué jīnglì ràng Xiǎo Lín míngbai yígè dàoli,
这次游学经历让小林明白一个道理，
lǚxíng bú shì mùdì, tōngguò lǚxíng lái fāxiàn zhēnshí de
旅行不是目的，通过旅行来发现真实的
zìjǐ, rènshi zìshēn de jiàzhí, ràng rénshēng biànde gèng
自己，认识自身的价值，让人生变得更
chōngshí, gèng měihǎo, zhè cái shì lǚxíng de zhēnzhèng yìyì
充实、更美好，这才是旅行的真正意义

suǒzài. Rúguǒ nǐ hái zài zhízhú yú wèilái de
所在。如果你还在踯躅 (to hesitate) 于未来的

fāngxiàng, huòshì réng zài zìjǐ suǒ chù de huánjìng zhōng
方向，或是仍在自己所处的环境中

mímáng, bùrú shìzhe fàngxià shǒubiān de yíqiè, qù yuǎnfāng
迷茫，不如试着放下手边的一切，去远方

"fēi" yíhuìr.
“飞”一会儿。

# Zhuīzhe Jìjié Lǚxíng
# 追着季节旅行

Zhōngguó gǔrén bǎ yóushān-wánshuǐ zǒngjié wéi "zhīqíng,
中国 古人 把 游山玩水 总结 为"知情、

dāng lìng, yìng shí" zhè liù gè zì, yìsi shì qù lǚyóu
当令、应时"这六个字，意思是去旅游

zhīqián yìnggāi liǎojiě nàr de lìshǐ diǎngù, fēngguāng
之前 应该 了解 那儿 的 历史 典故、风光

tèdiǎn, zhīdào shénme jìjié, shénme shíjiān yóulǎn zuì
特点，知道什么季节、什么时间游览最

héshì. Yīnwèi xǔduō fēngjǐng zài yì nián sì jì biǎoxiàn chū
合适。因为许多风景在一年四季表现出

bùtóng de měi, ér yǒuxiē jǐngsè zé xiàng huār yíyàng, zhǐ
不同的美，而有些景色则像花儿一样，只

zài mǒu yí gè jìjié zhànfàng. Héshì de tiānqì shì yí cì
在某一个季节绽放。合适的天气是一次

lǚxíng zhōng zuìwéi zhòngyào de yuánsù zhī yī, zuòwéi shèyǐng
旅行中最为重要的元素之一，作为摄影

jìzhě de Kèlǐ duì cǐ shēnxìn-bùyí.
记者的克里对此深信不疑。

Měinián yīyuè, Hā'ěrbīn dàdàxiǎoxiǎo de jiē shang dōu
每年一月，哈尔滨大大小小的街上都

kāishǐ lìqǐ gèzhǒng-gèyàng de bīngdiāo, bīngdēng — yìnián
开始立起各种各样的冰雕、冰灯——一年

yídù de Hā'ěrbīn Bīngxuějié dàole, xīyǐn lái le sìmiàn-bāfāng
一度的哈尔滨冰雪节到了，吸引来了四面八方

de yóukè. Zài zhèli, hàoqíxīn ràng Kèlǐ xuézhe dāngdìrén
的游客。在这里，好奇心让克里学着当地人

zài língxià dù de hùwài chīzhe bīnggùnr, tā shuō zhè jiù
在零下20度的户外吃着冰棍儿，他说这就

jiào "rùxiāng-suísú". Suīrán chīwán zhè gēn bīnggùnr, tā de
叫"入乡随俗"。虽然吃完这根冰棍儿，他的

shétou yǐjīng bù tīng shǐhuan le, dàn zhè bìng bù fáng'ài tā
舌头已经不听使唤了，但这并不妨碍他

xiǎngshòu dōngjì de lèqù. Chúcǐ zhīwài, Jílín de
享受冬季的乐趣。除此之外，吉林的

"wùsōng" yě shì Kèlǐ wàng bu diào de měilì jǐngsè.
"雾凇"也是克里忘不掉的美丽景色。

Èryuè, Kèlǐ láidào Sānyà xiǎngshòu zài shātān shang shài tàiyáng de lèqù. Yēzishù, shātān, hǎilàng xīyǐnzhe xiàngwǎng wēnnuǎn de rénmen, zhè qízhōng bāokuò láizì dōngběi sān shěng de dàye dàmā. Xiànzài lái Sānyà "māodōng" (duǒbì dōngtiān) de dōngběirén yuèláiyuè duō.
二月，克里来到三亚享受在沙滩上晒太阳的乐趣。椰子树、沙滩、海浪吸引着向往温暖的人们，这其中包括来自东北三省的大爷大妈。现在来三亚"猫冬"（躲避冬天）的东北人越来越多。

Kèlǐ fēile sì gè xiǎoshí cóng Hā'ěrbīn gǎndào Sānyà.
克里飞了四个小时从哈尔滨赶到三亚。

liǎngdì qìwēn xiāngchà jiējìn dù. Zhōuwéi rén shuōhuà
两地 气温 相差 接近 50 度。周围 人 说话

réngrán shì dōngběi kǒuyin, ràng Kèlǐ wù yǐwéi hái tíngliú zài
仍然 是 东北 口音，让 克里 误 以为 还 停留 在

dōngběi, xiàng chuānyuè shíkōng le yíyàng.
东北，像 穿越 时空 了 一样。

Sānyuè, chūnfēng chuīlǜ le jiāngnán. Wúshù de shīgē
三月，春风 吹绿 了 江南。无数 的 诗歌

dōu bǎ zuì měi de shījù zènggěi le sānyuè de jiāngnán.
都 把 最 美 的 诗句 赠给 了 三月 的 江南。

Shuǐdào zònghéng de jiāngnán gǔzhèn, fánhuá de Shànghǎi,
水道 纵横 的 江南 古镇、繁华 的 上海、

xiùlì de Hángzhōu, jiāoměi de Sūzhōu zài Kèlǐ de jìngtóu
秀丽 的 杭州、娇美 的 苏州 在 克里 的 镜头

li měi jíle. Dàn Kèlǐ zuì ài sìyuè, tā shuō zhè shì
里 美 极了。但 克里 最 爱 四月，他 说 这 是

shǎng huā de jìjié. Tā dàole Wùyuán shǎng yóucàihuā, yòu
赏 花 的 季节。他 到了 婺源 赏 油菜花，又

dàole Wǔhàn shǎng yīnghuā, hái qù Qīngyuǎn Xiǎoběijiāng shǎng
到了武汉赏樱花，还去清远小北江赏
yějúhuā; ér jiāngnán dūshì li de gūniangmen yě dōu
野菊花；而江南都市里的姑娘们也都
tuōqù le hòuzhòng de miányī, huīfùle miáotiao de shēncái,
脱去了厚重的棉衣，恢复了苗条的身材，
gēn sìyuè de huā bǐ shuí gèng měi.
跟四月的花比谁更美。

Wǔyuè hé liùyuè, Kèlǐ qùle Yúnnán de Díqìng.
五月和六月，克里去了云南的迪庆。
Nàli yǒu chéngbì de lántiān, màn shān kāifàng de dùjuān,
那里有澄碧的蓝天，漫山开放的杜鹃，
shénmì yōujìng de zàngchuán fójiào sìyuàn, yǐncáng zài yúnjiān
神秘幽静的藏传佛教寺院，隐藏在云间

de shānfēng, yōujìng de shuǐtán. Zhè yíqiè, ràng Kèlǐ
的 山峰，幽静 的 水潭。这一切，让 克里
fǎngfú zhìshēn xiānjìng.
仿佛置身 仙境。

Qīyuè, Kèlǐ liúlián-wàngfǎn yú běifāng de hǎibīn chéngshì
七月，克里 流连忘返 于 北方 的 海滨 城市
Dàlián, Qīngdǎo. Zài shèngxià kùshǔ jìjié, chuīzhe hǎifēng,
大连、青岛。在 盛夏 酷暑季节，吹着 海风，
hēzhe qìshuǐ, pāizhe hǎitān de měinǚ, Kèlǐ táozuì qízhōng,
喝着 汽水，拍着 海滩 的 美女，克里陶醉其中，
lèbùsīshǔ.
乐不思蜀。

Bāyuè, Kèlǐ qù shìjiè wūjǐ Xīzàng tànxiǎn. Xuěshān,
八月，克里 去 世界屋脊 西藏 探险。雪山，
qīngcǎo, měilì de lǎmamiào, chénjìn yú níngjìng xiánghé
青草，美丽 的 喇嘛庙，沉浸 于 宁静 祥和
de xīn zàiyě bù xiǎng
(peacefulness and blissfulness) 的 心 再也 不 想
huídào fánjiān le.
回到 凡间 了。

Jiǔyuè, Kèlǐ láidào le Xīnjiāng. Zhèshí de Xīnjiāng tiānqì
九月，克里来到了 新疆。这时的 新疆 天气
jiànjiàn zhuǎn liáng, guāguǒ yě shú le. Tā cóng Wūlǔmùqí
渐渐 转 凉，瓜果 也 熟 了。他 从 乌鲁木齐
yìzhí wǎng xī jīngguò Tǔlǔfān dào Kāshí, cóng Zhōngyà
一直 往 西 经过 吐鲁番 到 喀什，从 中亚
dì-yī dà dūshì dào shuǐguǒ zhī xiāng, zài jīngguò shāmò gōnglù
第一 大都市 到 水果 之 乡，再 经过 沙漠 公路

dào biānchuí xiǎozhèn, yílù pǐncháng měiwèi guāguǒ, féinèn
到边陲小镇，一路品尝美味瓜果、肥嫩

de niú yáng ròu, yílù lǐnglüè mínsú fēngqíng, zhuàngměi
的牛羊肉，一路领略民俗风情、壮美

cǎoyuán, yílù gǎntàn dàzìrán de měihǎo.
草原，一路感叹大自然的美好。

Shíyuè, Kèlǐ láidào qiūsè xuànlàn de Jiǔzhài Gōu, nà
十月，克里来到秋色绚烂的九寨沟，那

yí piànpiàn shùlín, dànqīng, jīnhuáng, huǒhóng, chānzá zài
一片片树林，淡青、金黄、火红、掺杂在

yìqǐ, wǔcǎi-bīnfēn, dàoyìng zài dàdàxiǎoxiǎo de hǎizi
一起，五彩缤纷，倒映在大大小小的海子

li, húguāng-shānsè, mídǎo le suǒyǒu yóukè.
(lake)里，湖光山色，迷倒了所有游客。

Shíyīyuè, Guìzhōu de miáozhài xiǎngqǐ le yōuyáng de
十一月，贵州的苗寨响起了悠扬的

lúshēng
芦笙 (*lusheng*, reed-pipe wind instrument used by
, rénmen tiàoqǐ
the Miao,Yao and Dong ethnic groups)，人们跳起
le rèliè de miáo wǔ . Gāntián de mǐjiǔ , měilì de làrǎn
了热烈的苗舞。甘甜的米酒，美丽的蜡染
hé jīngzhì de yínshì ràng Kèlǐ jiǔjiǔ
和精致的银饰 (silver accessories) 让克里久久
wàng bu liǎo .
忘不了。

Shí'èryuè , Kèlǐ láidào le Xiānggǎng , zhèng gǎnshàng
十二月，克里来到了香港，正赶上
rènao de shèngdàn hé suìmò de dà zhékòu , zhèli fánhuá
热闹的圣诞和岁末的大折扣，这里繁华、
xiàndài de jǐngxiàng ràng Kèlǐ hǎoxiàng yòu huídào le zìjǐ
现代的景像，让克里好像又回到了自己
de jiāxiāng .
的家乡。

Bùguǎn nǎge jìjié , Kèlǐ dōu néng zài Zhōngguó zhè
不管哪个季节，克里都能在中国这
piàn guǎngkuò de tǔdì shang zhǎodào quán shìjiè zuì měilì de
片广阔的土地上找到全世界最美丽的
jǐngsè , bú shì qíjì , shèngsì qíjì .
景色，不是奇迹，胜似奇迹。

Zǒu, Zìjiàyóu Qu
# 走，自驾游去

“ Zhège chángjià, qù nǎr lǚyóu le? ” Jié hòu yí
“这个 长假，去 哪儿 旅游 了？”节后 一

shàngbān, zhè jù wènhuà jīhū chéngle tóngshì hǎoyǒu jiànmiàn
上班，这 句 问话 几乎 成了 同事 好友 见面

shí de tóutiáo wènhòuyǔ. Jù wǎng shang yí xiàng diàochá
时 的 头条 问候语。据 网 上 一 项 调查

shùjù xiǎnshì, “ Shíyī ” qī tiān chángjià, xuǎnzé chūmén
数据 显示，“十一”七 天 长假，选择 出门

lǚxíng de zhàn bèi diàochá rénshù de , ér qízhōng xuǎnzé
旅行的占被调查人数的71%，而其中选择

zìjiàyóu fāngshì de yòu zhàn chūyóu zǒngshù de .
自驾游方式的又占出游总数的46%。

Zìjiàyóu , zhèzhǒng zìyóu suíxìng de chūyóu fāngshì rújīn yǐ
自驾游，这种自由随性的出游方式如今已

búzài xīnxiān .
不再新鲜。

Zìjiàyóu yǔ suí tuán lǚyóu de zuì dà qūbié zàiyú , duì
自驾游与随团旅游的最大区别在于，对

zìjiàyóuzhě láishuō , zhòngyào de shì guòchéng ér bú shì
自驾者来说，重要的是过程而不是

jiéguǒ , yīnwèi tāmen kěyǐ zài rènhé yí gè dǎdòng tāmen de
结果，因为他们可以在任何一个打动他们的

dìfang tíngliú , xīnshǎng yántú fēngjǐng dàilái de jīngxǐ . Lùbiān
地方停留，欣赏沿途风景带来的惊喜。路边

de yí duàn xīliú , chéngwài de bànjié shítǎ , shānwān li
的一段溪流，城外的半截石塔，山湾里

lànmàn de táohuā , yábì shang bānbó de shíkè , dōu néng
烂漫的桃花，崖壁上斑驳的石刻，都能

lìng rén xīngfèn bùyǐ . Zìjiàyóu kěyǐ suíshí tiáozhěng lǚxíng
令人兴奋不已。自驾游可以随时调整旅行

xiànlù , qù nàxiē lǚxíngtuán cóngwèi dàoguo de dìfang , yóuqí
线路，去那些旅行团从未到过的地方，尤其

shì nàxiē shàngwèi kāifā hé kāifàng de dìfang , lǐnglüè zuì
是那些尚未开发和开放的地方，领略最

chúnpǔ de mínfēng hé wèi zāo pòhuài de zìrán fēngguāng . Zhè
淳朴的民风和未遭破坏的自然风光。这

jiù shì jīngcháng de rénmen suǒ shuō de “ bù zǒu
就是 经常 自驾游的人们 所 说 的“不走
xúncháng lù ” ba .
寻常 路”吧。

LǎoYáng shì gè wǎngluò gōngchéngshī . Wǎngluò , zhège ràng
老杨是个网络 工程师 。网络，这个让
rén xiǎngxiànglì wúxiàn chíchěng de dìfang , yěxǔ jiùshì Lǎo Yáng
人 想象力 无限 驰骋 的地方，也许就是老 杨
de lǚyóu zhī mèng de qǐdiǎn . Gāogè , jiànzhuàng , pífū
的旅游之 梦的起点。高个、 健壮 ，皮肤
yǒuhēi , yí xiào yì kǒu bái yá de Lǎo Yáng , ràng rén yì
黝黑，一笑一口白牙的老 杨，让人一
dǎliang , jiù néng duàndìng tā shì yí gè yángguāngxíng de
打量，就 能 断定他是一个 阳光型 的
lǚxíngzhě . Lǎo Yáng de zìjiàyóu lìshǐ kě bú suàn duǎn . Tā
旅行者。老 杨 的自驾游历史可不算 短。他
nián qián jiù nále jiàzhào , dì-èr nián jiù mǎile dì-yī liàng
11 年前就拿了驾照，第二年就买了第一 辆
chē , nián zhèngshì zìjià chángtú lǚxíng . Lǎo Yáng qùguo
车，2003 年 正式 自驾 长途 旅行。老 杨 去过
Zhōngguó de hěn duō dìfang , rújīn suànshì yì míng “ lǎo
中国 的很 多地方，如今 算是 一 名“老
lǘ ” le . Zài Shànghǎi de yì jiā
驴”(experienced backpacker) 了。在 上海 的一家
zhīmíng hùwài jùlèbù , tā yě shì yǒu diǎnr xiǎo míngqi de .
知名 户外俱乐部，他也是有点儿小 名气的。

Qī tiān chángjià , LǎoYáng hé qīzi xuǎnzéle Ānjí ,
七天 长假，老杨 和妻子选择了 安吉、

Níngguó, Lín'ān zhè sān dì de yìxiē piānpì jǐngdiǎn. Yí liàng
宁国、临安这三地的一些偏僻景点。一辆

zuòjià, yí duì bànlǚ, LǎoYáng zì jià tànyōu-fǎngshèng
坐驾，一对伴侣，老杨自驾探幽访胜(visit

zhī lǚ zài chénxī zhōng qǐchéng
an unspoilt scenic spot)之旅在晨曦中启程

le. Zhè qī tiān zì jià de xiànlù yǔ jǐngdiǎn, LǎoYáng zuòzú
了。这七天自驾的线路与景点，老杨做足

le gōngkè, kěwèi yōu zhōng yǒu qí.
了功课，可谓幽中有奇。

Níngguó de Jiǔtiān Yínpù, fēngjǐng píngdàn-wúqí, yóukè
宁国的九天银瀑，风景平淡无奇，游客

yě hěn shǎo, dàn LǎoYáng yào de jiùshì zhè fèn yōujìng.
也很少，但老杨要的就是这份幽静。

Wǎn-Zhè jiāojièxiàn hěn cháng, zìgǔ fēnbùzhe zhòngduō de
皖浙交界线很长，自古分布着众多的

guān'ài, Xiānxiá Zhèn de Qiānqiū Guān biàn shì qíyī, zhèli
关隘，仙霞镇的千秋关便是其一，这里

yě shì LǎoYáng cǐ cì yào tànfǎng de zhòngdiǎn . Qiānqiū Guān
也是老杨此次要探访的重点。千秋关

shì jiàn zài xiǎo shānlǐng zhī shàng de yí gè gǔdài jūnshì guān'ài ,
是建在小山岭之上的一个古代军事关隘，

shèzài Ānhuī , Zhèjiāng de zhòngyào tōngdào shang . Qiānqiū
设在安徽、浙江的重要通道上。千秋

Guān de guānmén yǐncáng zài shùcóng zhōng , yóu zhuānkuài lěi
关的关门隐藏在树丛中，由砖块垒

chéng , hěn bù qǐ yǎn . LǎoYáng shuō : " Wǒ pāiguo yìxiē
成，很不起眼。老杨说："我拍过一些

bǎohù de hěn hǎo de guān'ài , xiàng zhèyàng yuánzhī-yuánwèi de
保护得很好的关隘，像这样原汁原味的

háishì dì-yī cì . " Rúcǐ jǐngdiǎn , dàduō bú huì lièrù
还是第一次。"如此景点，大多不会列入

yìbān yóukè de xíngchéng , ér zài LǎoYáng de yǎnli , tāmen
一般游客的行程，而在老杨的眼里，它们

dōu shì tā guānzhù de qíjǐng . Xǐhuan lìshǐ rénwén de Lǎo
都是他关注的奇景。喜欢历史人文的老

Yáng chángcháng huì yóu cǐ zhǎnkāi duì lìshǐ de xiáxiǎng .
杨常常会由此展开对历史的遐想。

Zhèngshì zhèzhǒng guān jǐng , xún shǐ , fǎnsī sān zhě de yǒujī
正是这种观景、寻史、反思三者的有机

jiéhé , ràng Lǎo Yáng de zìjià lǚxíng gèng jù jīngshén
结合，让老杨的自驾旅行更具精神

céngmiàn de yìyì .
层面的意义。

Bābǎi Lǐ Fēngqíngdǎo shì Lín'ān de yì gè jùyǒu shēngtài
八百里风情岛是临安的一个具有生态

tèsè de zhǔtí gōngyuán yuánqū nèi yǒu yì tiáo gǔsè gǔxiāng
特色的主题公园，园区内有一条古色古香

de shāngmào lǎojiē jiēbiān de gǔjiànzhù dōushì cóng Zhèjiāng,
的商贸老街，街边的古建筑都是从浙江、

Ānhuī Fújiàn děng dì sōují lái de huòzhēn-jiàshí de gǔ
安徽、福建等地搜集来的货真价实的古

jiànzhù. Yóuyú xuānchuán lìdù búgòu, zhèli hěn shǎo yǒurén
建筑。由于宣传力度不够，这里很少有人

guānzhù. Yúshì, tā zìrán-érrán de bèi lièrù Lǎo Yáng de
关注。于是，它自然而然地被列入老杨的

xíngchéng.
行程。

Yōu pù, gǔ ài, jiù jiē, zhèxiē lìnglèi jǐngdiǎn, shǐ
幽瀑，古隘，旧街，这些另类景点，使

yǐ chángtú jiàchē chíchěng wéi xiǎngshòu de Lǎo Yáng chūyóu de
以长途驾车驰骋为享受的老杨出游的

lèqù bèi wúxiàn fàngdà. Qù Lǎo Yáng de bókè li liúlǎn,
乐趣被无限放大。去老杨的博客里浏览，

jiù néng gǎnshòu dào zhège yángguāng zìjiàzhě de kuàilè yǔ
就能感受到这个阳光自驾者的快乐与

sǎtuō.
洒脱。

Gǔzhèn De Fēnfāng

## 古镇的芬芳

Gìnniánlái, gǔzhèn, gǔ cūnluò chéngle rèmén lǚyóu
近年来，古镇、古村落成了热门旅游

mùdìdì. Zhōngguó dìyù liáokuò, bùtóng de fēngtǔ
目的地。中国地域辽阔，不同的风土 (natural

yùnyù chū le
conditions and social customs) 孕育 (to breed) 出了

gèzhǒng dújù tèsè de gǔzhèn, gǔ cūnluò. Yǐ Shānxī
各种独具特色的古镇、古村落。以山西

Píngyáo Gǔchéng wéi dàibiǎo de běifāng gǔzhèn fùguì dàqì ; yǐ
平遥 古城 为代表的北方古镇富贵大气；以
Jiāngsū Zhōuzhuāng wéi dàibiǎo de jiāngnán shuǐxiāng gǔ cūnluò
江苏 周庄 为代表的江南 水乡 古村落
xiǎoqiǎo jīngzhì ; yǐ Xīdì , Hóngcūn wéi dàibiǎo de Huīpài gǔ
小巧 精致；以西递、宏村 为代表的徽派古
cūnluò zhāngxiǎn dàjiā fēngfàn
村落 彰显 大家风范 (showcase the magnificent
; yǐ Húnán Fènghuáng , Guìzhōu Qīngyán wéi dàibiǎo de
style)；以湖南 凤凰 、贵州 青岩 为代表的
Xiāng-Qián gǔzhèn qīngyì língxiù
湘 黔 古镇清逸灵秀 (pretty and elegant)……

Zài Zhōngguó zhòngduō de gǔzhèn zhōng , Ānhuī de Xīdì
在 中国 众多 的古镇 中，安徽的西递
hé Hóngcūn shì fēicháng yǒu tèsè de liǎng gè gǔ cūnluò .
和 宏村 是 非常 有特色的 两 个古村落。
Xīdì Cūn sìmiàn huán shān , yǒu sān tiáo xīliú liújīng
西递 村 四面 环 山，有 三 条 溪流 流经
quán cūn . Cūn zhōng líncìzhìbǐ
全村。村 中 鳞次栉比 (like fish scales and
de gǔ mínjū xiàng yì tiáo chuán
comb teeth—in tight rows) 的古民居 像一条 船
de chuántǐ , cūnkǒu gāodà de shùmù hé zuò páifāng hǎosì
的 船体，村口 高大 的 树木 和 13 座 牌坊 好似
chuán shang de wéigān , cūnluò zhōuwéi de shàng bǎi mǔ liángtián
船 上 的桅杆，村落 周围 的 上 百 亩 良田
cùyōngzhe zhěnggè cūnzhuāng , shǐ tā qià sì yì sōu jùlún
簇拥着 整个 村庄 ，使 它 恰似 一 艘 巨轮

tíngbó zài níngjìng de gǎngwān li . Cūn zhōng de suǒyǒu jiēxiàng
停泊在宁静的港湾里。村中的所有街巷

dōu yòng běndì chǎn de qīngshí pūjiù . Xiàngdào , xīliú ,
都用本地产的青石铺就。巷道、溪流、

jiànzhù bùjú xiāngyí , cūnluò kōngjiān biànhuà fùyǒu yùnlǜgǎn
建筑布局相宜，村落空间变化富有韵律感

. Cūn zhōng zhùzhái dàduō lín shuǐ ér
(sense of rhythm)。村中住宅大多邻水而

jiàn , bái qiáng qīngwǎ , gāosǒng de mǎtóuqiáng ,
建，白墙青瓦，高耸的马头墙(corbel roof)、

jīngměi de diāokè dōu bǎoliúzhe Míng-qīng shíqī de fēngmào ,
精美的雕刻都保留着明清时期的风貌，

xiàng rénmen zhǎnshìzhe jiùrì de fánhuá .
向人们展示着旧日的繁华。

Ér jùlí Xīdì bù yuǎn de Hóngcūn, zé shì yǐ " niú
而距离西递不远的宏村，则是以"牛
xíngcūn" zhùchēng. Dāngnián Hóngcūnrén yǐ fēngshuǐ
形村"著称。当年宏村人以风水(*fengshui*
lái zhǐdǎo cūnzi de bùjú, xíngchéngle xiànzài
geomancy)来指导村子的布局，形成了现在
de jǐngxiàng: cūn tóu de yí zuò shān wéi " niú tóu", shān
的景象：村头的一座山为"牛头"，山
shang de gǔ shù wéi " niújiǎo", cūn nèi jiànzhùqún shì " niú
上的古树为"牛角"，村内建筑群是"牛
shēn", cūn zhōngyāng de shuǐtáng wéi " niú wèi", cūn zhōng
身"，村中央的水塘为"牛胃"，村中
de shuǐxì wéi " niú cháng", cūn biān de sì zuò mùqiáo wéi
的水系为"牛肠"，村边的四座木桥为

“ niú tuǐ ”. Hóngcūn jiù hǎoxiàng yì tóu wò niú chǔyú qīngshān
“牛腿”。宏村 就 好像 一 头 卧 牛 处于 青山
zhīzhōng . Zhěnggè cūnluò huánjìng yōuměi , bùjú
之中。整个 村落 环境 优美，布局 (layout)
hélǐ , jiànzhù diǎnyǎ , yǔ dàzìrán
合理，建筑 典雅 (elegant and refined)，与 大自然
jǐnmì rónghé , gǔdài de Hóngcūnrén chuàngzào chū yí gè jì
紧密 融合，古代 的 宏村人 创造 出 一个 既
kēxué yòu fùyǒu qíngqù de jūzhù huánjìng . Hóngcūn shì
科学 又 富有 情趣 的 居住 环境。宏村 是
Zhōngguó jiànzhù shǐ shang de bùxiǔ chuánqí .
中国 建筑 史 上 的 不朽 传奇。

Zhōngguó zhèxiē gè jù fēnggé de gǔzhèn bùjǐn xīyǐnle
中国 这些 各 具 风格 的 古镇 不仅 吸引了
Zhōngguórén , hái xīyǐnlái xǔduō wàiguórén . Rìběnrén
中国人，还 吸引来 许多 外国人。日本人
Tiánzhōng běn shì Rìběn Zǎodàotián Dàxué Jiànzhùxì de
田中 本 是 日本 早稻田 大学 建筑系 的
xuésheng . Yí cì Zhōngguóyóu ràng tā duì Zhōngguó de
学生。一 次 中国游 让 他 对 中国 的
gǔjiànzhù chǎnshēngle nónghòu de xìngqù . Yúshì tā jīngguò
古建筑 产生了 浓厚 的 兴趣。于是 他 经过
yì fān nǔlì , kǎoshàng le Qīnghuá Dàxué Jiànzhùxì de
一番 努力，考上 了 清华 大学 建筑系 的
yánjiūshēng , zhuānmén yánjiū zhōngguó de gǔzhèn , gǔjiànzhù .
研究生，专门 研究 中国 的 古镇、古建筑。
Tā jīngcháng qù yìxiē gǔzhèn shídì kǎochá , yì dāi jiù shì
他 经常 去 一些 古镇 实地 考察，一 待 就 是

yí gè yuè. Jiànjiàn de, tā àishàng le gǔzhèn tiándàn shūshì
一个月。渐渐地，他爱上了古镇恬淡舒适

de shēnghuó. Yì bēi chá, yì dié diǎnxin, jiù shì Tiánzhōng
的生活。一杯茶，一碟点心，就是田中

yí fèn jiǎndān de zǎocān. Zǎocān guò hòu, tā tōngcháng huì
一份简单的早餐。早餐过后，他通常会

zài jiēshì shang guàngguang, zài suíyì chī xiē měiwèi de
在街市上逛逛，再随意吃些美味的

xiǎochī, ránhòu qù cānguān gǔzhèn de tèsè mínjū huò
小吃，然后去参观古镇的特色民居或

zháiyuàn, huò pāi huò huà huò yǔ zhǔrén liáotiān, liǎojiě qízhōng
宅院，或拍或画或与主人聊天，了解其中

de gùshi. Zhōngwǔ chī yì wǎn miàntiáo, xiàwǔ tā jìxù
的故事。中午吃一碗面条，下午他继续

yánjiū gǔ jiànzhù de àomì . Wǎnshang yì hú
研究古建筑的奥秘(mystery)。晚上一壶

huángjiǔ bànzhe yīyīyāyā
黄酒(yellow rice wine)伴着咿咿呀呀(warbling)

de xìqǔ , Tiánzhōng lèzàiqízhōng , fǎngfú zìjǐ jiù shì zhèli
的戏曲，田中乐在其中，仿佛自己就是这里

tǔshēng-tǔcháng de rén
土生土长(be born and brought up locally)的人

yíyàng . Tiánzhōng juéde , zhǐyǒu shēnrù de tǐhuì dāngdìrén de
一样。田中觉得，只有深入地体会当地人的

shēnghuó , cái néng liǎojiě tāmen suǒ làiyǐ shēngcún de jiànzhù
生活，才能了解他们所赖以生存的建筑

zhōng de jīngsuǐ suǒzài .
中的精髓(quintessence)所在。

Zhōngguó gǔrén yǐ " tiān rén hé yī
中国古人以"天人合一(harmony

" de sīxiǎng wéi zhǐdǎo ,
between heaven and man)"的思想为指导，

chuàngzào chū yí gègè jīngměi-juélún de
创造出一个个精美绝伦(exquisite, superb)的

gǔzhèn . Tāmen bùjǐn shì wúyán de jiànzhù , gèng shì
古镇。它们不仅是无言的建筑，更是

Zhōngguórén de xīnlíng jiāyuán . Huíguī jiāyuán de chōngdòng ,
中国人的心灵家园。回归家园的冲动，

ràng rénmen yí cìcì tàshàng xúnfǎng gǔzhèn de lǚtú .
让人们一次次踏上寻访古镇的旅途。

策　　划：黄友义　王君校　韩　晖　付　眉
责任编辑：杨　晗
英文编辑：吴爱俊　薛彧威
封面设计：何思倩

图书在版编目（CIP）数据

人在旅途：汉英对照 / 张超编著. -- 北京：华语教学出版社，2018.10
（当代中国微记录）
ISBN 978-7-5138-1636-6

Ⅰ. ①人… Ⅱ. ①张… Ⅲ. ①汉语—对外汉语教学—语言读物 Ⅳ. ①H195.5

中国版本图书馆CIP数据核字(2018)第226470号

**人在旅途**

张超　陈婉　孙婕　编著
*

华语教学出版社有限责任公司出版
（中国北京百万庄大街24号 邮政编码100037）
电话：(86)10-68320585 68997826
传真：(86)10-68997826 68326333
网址：www.sinolingua.com.cn
电子信箱：hyjx@sinolingua.com.cn
北京玺诚印务有限公司印刷
2019年（32开）第1版
2019年第1版第1次印刷
ISBN 978-7-5138-1636-6
定价：29.00元